My First Chinese Reader

快乐儿童华语

VOLUME 1 WORKBOOK B

第一册 练习册 B

www.BetterChinese.com

My First Chinese Reader

My First Chinese Reader Workbook B - Volume 1
Simplified Chinese Characters

Founder: Li-hsiang Yu 虞丽翔
Publisher: Chi-kuo Shen 沈启国
Illustrations by Better world Ltd.
Published by Better world Ltd.
5 6 7 XLB 21 20 19

P. O. Box 695
Palo Alto, CA 94302, USA
Tel: +1-650-384-0902
Email: usa@betterchinese.com
Web: www.BetterChinese.com

Use this product with our Online Learning System at www.BetterChinese.com.

ISBN-13: 978-962-978-132-3
ISBN-10: 962-978-132-8

mù lù
目录
Contents

mù lù
目录
Contents

dì yī kè nǐ hǎo
第一课 你好！

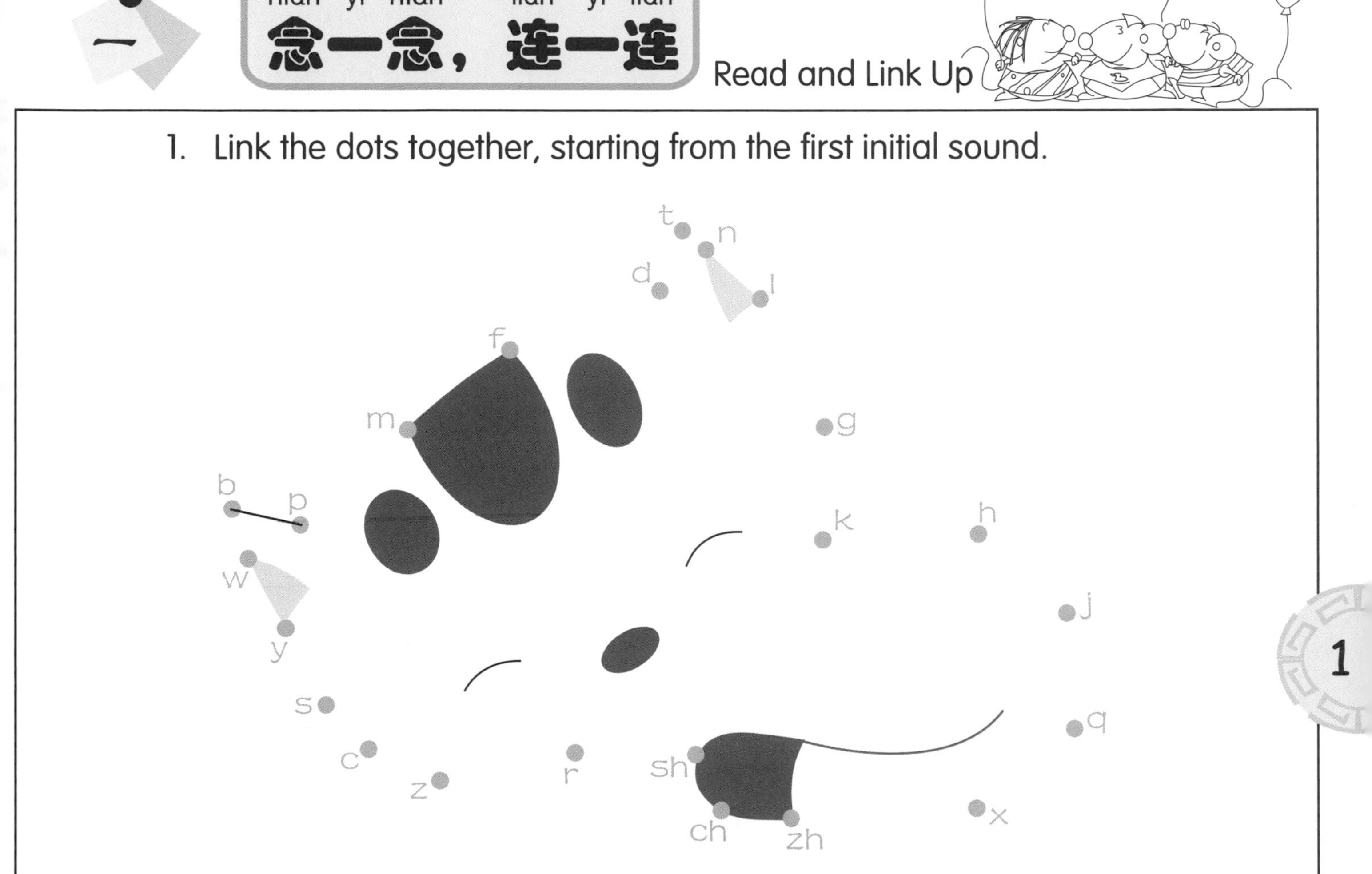

一 niàn yi niàn lián yi lián
念一念，连一连 Read and Link Up

1. Link the dots together, starting from the first initial sound.

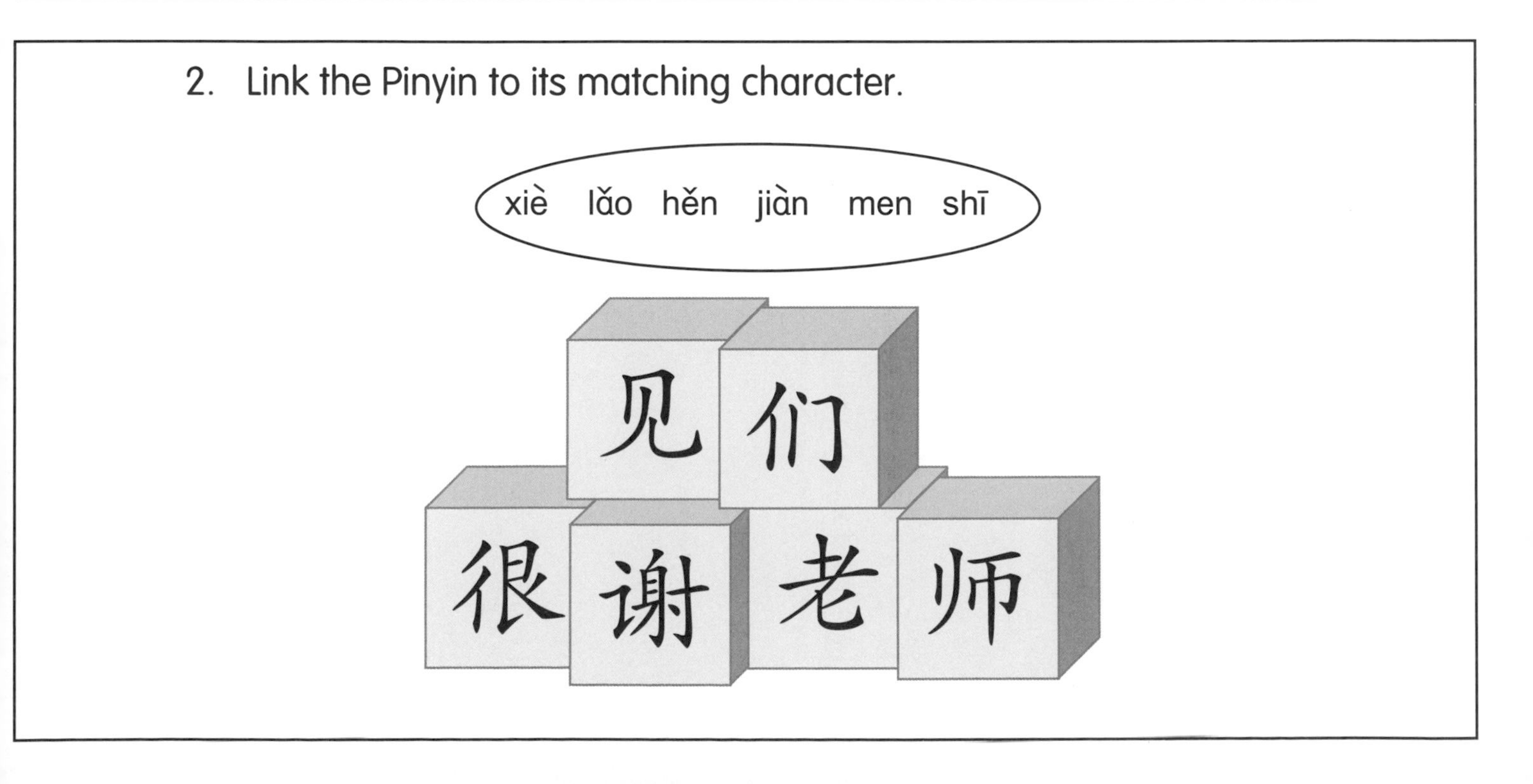

2. Link the Pinyin to its matching character.

二 dú yi dú tián yi tián 读一读，填一填

Read and fill in the blanks

Match the sentence with the picture.

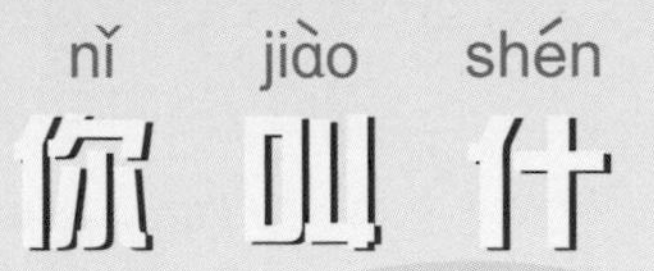
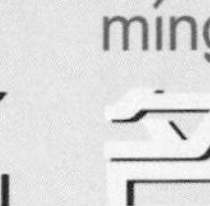
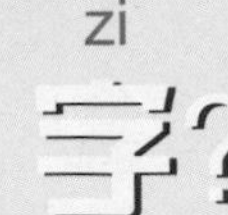

第二课 你叫什么名字？

niàn yi niàn, lián yi lián
念一念，连一连 Read and Link Up

你叫什么名字？

Link the Pinyin to the matching character.

名

谢

字

你

好

再

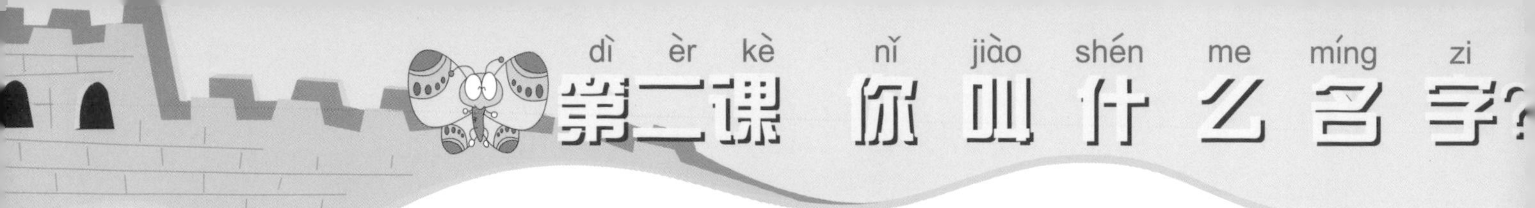

dì èr kè nǐ jiào shén me míng zi
第二课 你叫什么名字？

二 lián yi lián tián yi tián 连一连，填一填 Make a Sentence

Choose the right character to fill in the blank and then link the words together to make a sentence.

（我 他 她）

我	叫	王小文
___		李大中
___		___
		白玛丽

三 tián yi tián 填一填 Fill in the blanks.

Fill in the names according to the pictures.

(you may use Pinyin)

- 中文老师叫☐老师。
- 我叫☐☐☐。
- 他叫☐☐☐同学。
- 她叫☐☐☐同学。

dì sān kè 第三课 nǐ jǐ suì 你几岁?

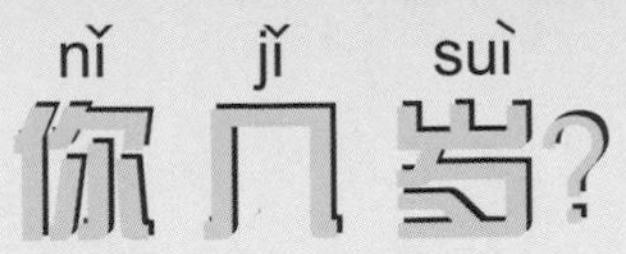

一 tián yi tián 填一填 Fill in the blanks

Write the numbers in Chinese characters.

39	三	十	九
98			
46			
52			
17			

二 shǔ yi shǔ 数一数 Count the Strokes

Write down the stroke number of each character.

三	三 huà 划 (strokes)
九	☐
六	☐
七	☐
见	☐

Write the numbers below and say aloud the names of each stroke.

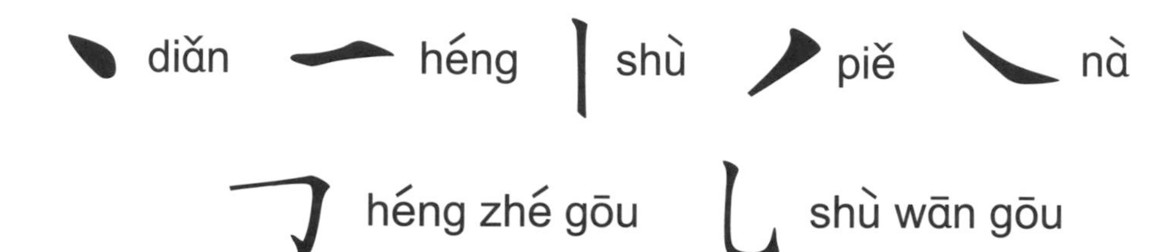

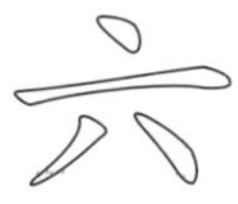

Answer the question by linking up the appropriate answer.

你叫什么名字？	我八岁。
你几岁？	她十二岁。
tā jǐ suì?	我叫李大中。
她叫什么名字？	他七岁。
她几岁？	她叫王小文。

第四课 你是哪国人？

dì sì kè nǐ shì nǎ guó rén

一 读一读，写一写

dú yi dú xiě yi xiě

Read and fill in the blanks

Read the Pinyin and write down the character.

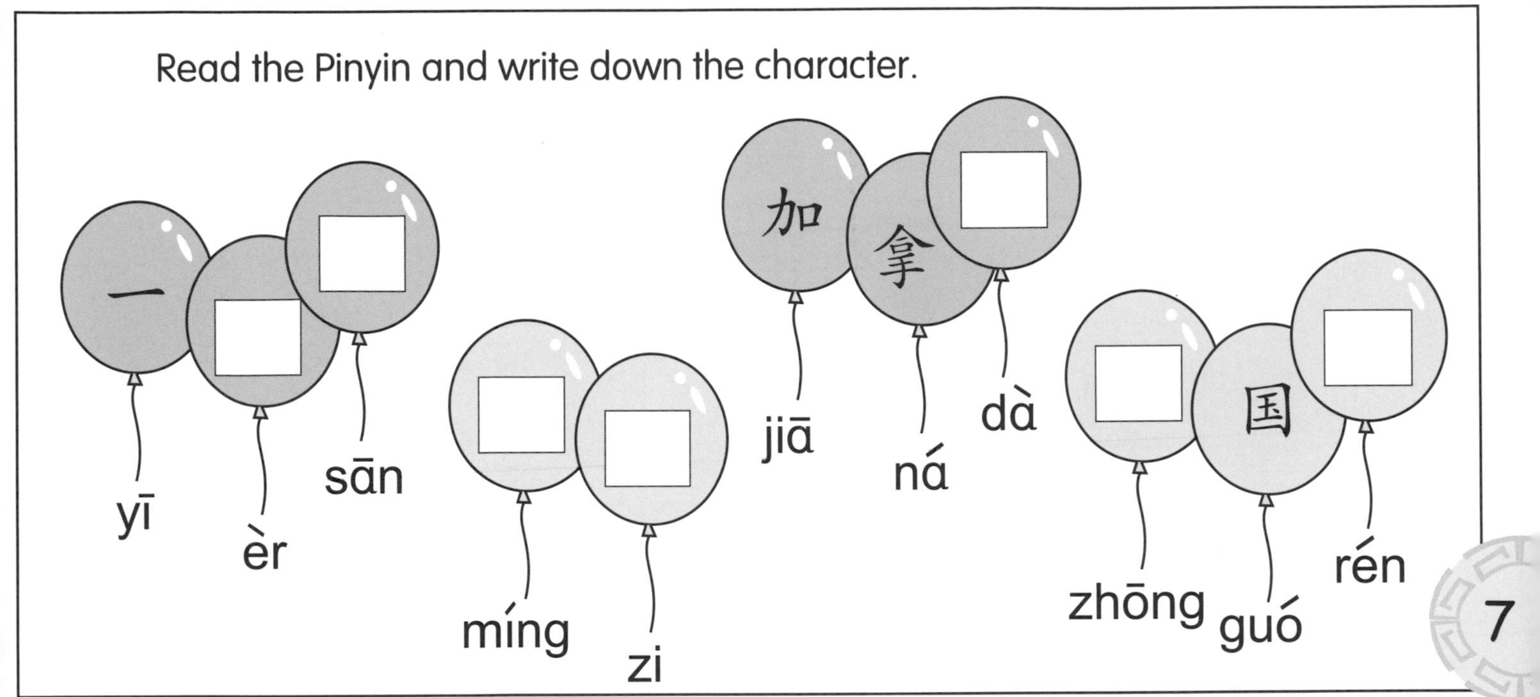

二 你有我也有，填一填

nǐ yǒu wǒ yě yǒu tián yi tián

Belonging Together

Find the characters with the same radical and write them in the appropriate groups.

好 他 妈 你 她 个

人 你 ☐ ☐

女 ☐ ☐ ☐

dì sì kè nǐ shì nǎ guó rén
第四课 你是哪国人？

三 lián yi lián 连一连 Link Up

Answer the question by linking up the appropriate answer.

你是哪国人？	不是，她是英国人。
他是中国人吗？	我是美国人。
他是哪国人？	是，他是中国人。
她是不是加拿大人？	他是日本人。
她是哪国人？	她是法国人。

四 tián yi tián 填一填 Fill in the blanks

Match the country's name with the right national flag.

美国　中国　日本　加拿大　英国

(zhōng guó　　(　)　(　)　(　)

dì wǔ kè 第五课 wǒ shàng dà huá xiǎo xué 我上大华小学

一 dú yi dú xiě yi xiě 读一读，写一写

Read and fill in the blanks

Read the Pinyin and write the characters.

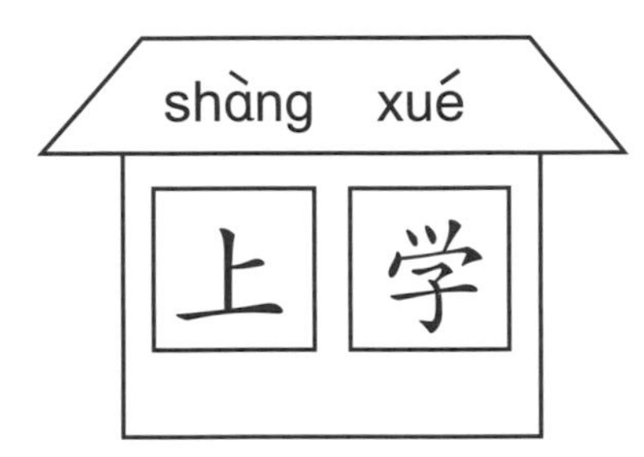

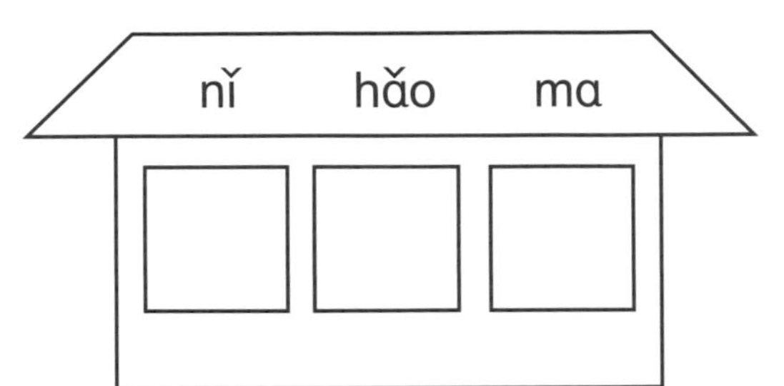

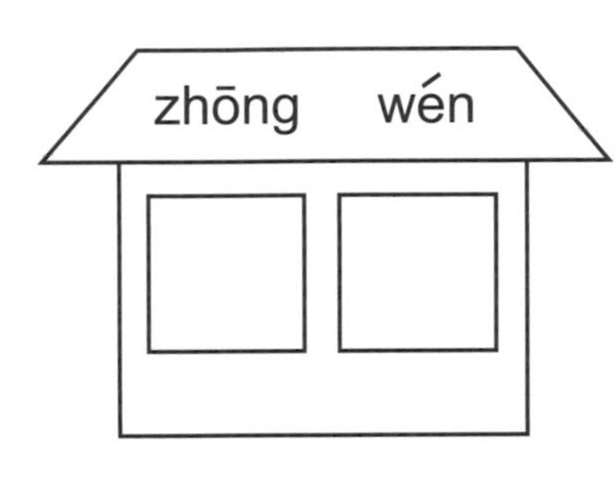

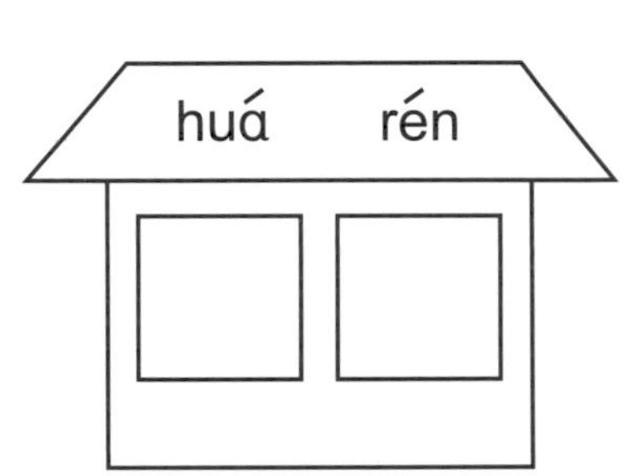

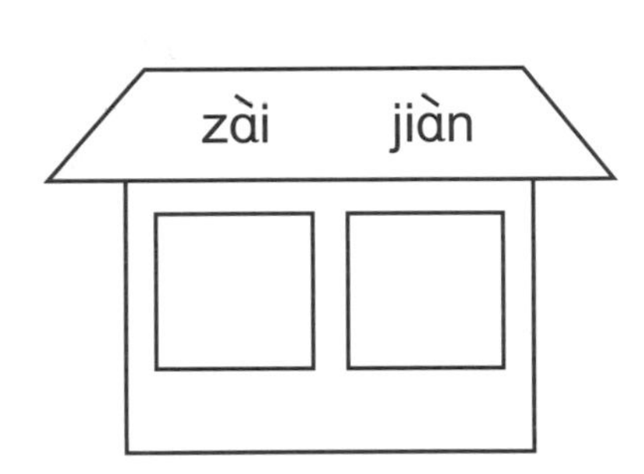

二 nǐ yǒu wǒ yě yǒu tián yi tián 你有我也有，填一填

Belonging Together

Find the same radical on each tree and write it in the blank space given.

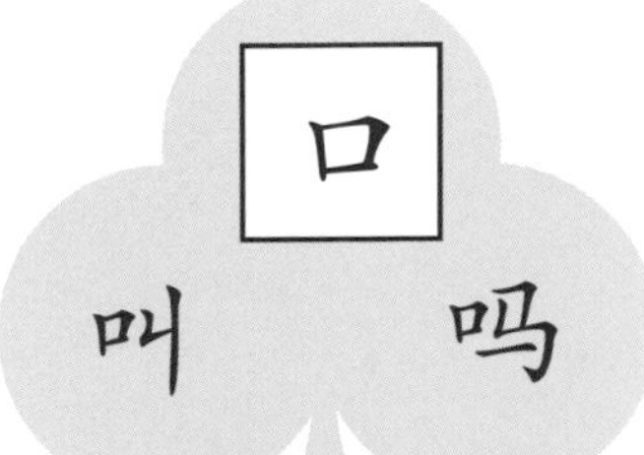

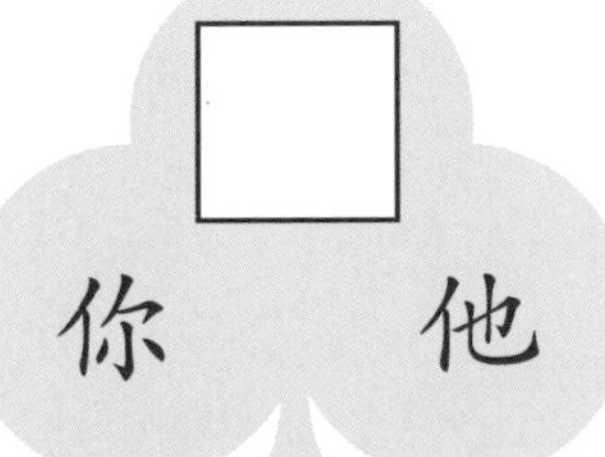

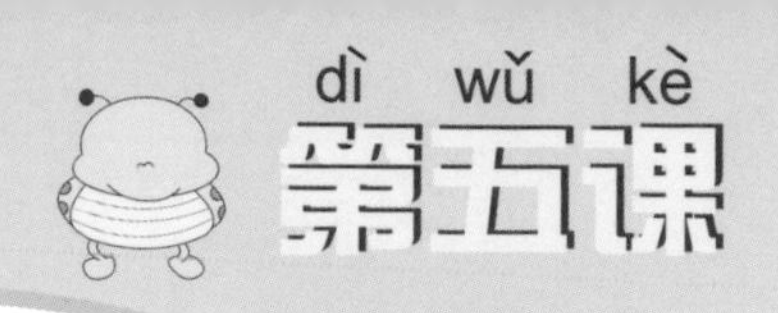

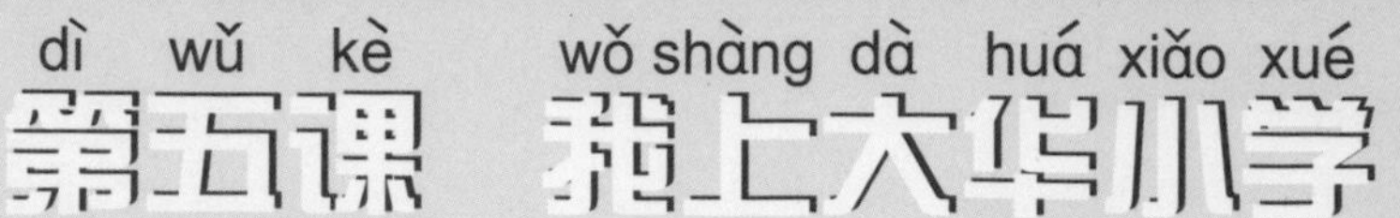

三 tián yi tián 填一填 Fill in the blanks

1、Choose the right characters for the sentences.

上 也 四 大

1.我 ____ 大华小学，他 ____ 上 ____ 华小学。

2.我 ____ 四年级，他 ____ 上 ____ 年级。

3.你 ____ 几年级？

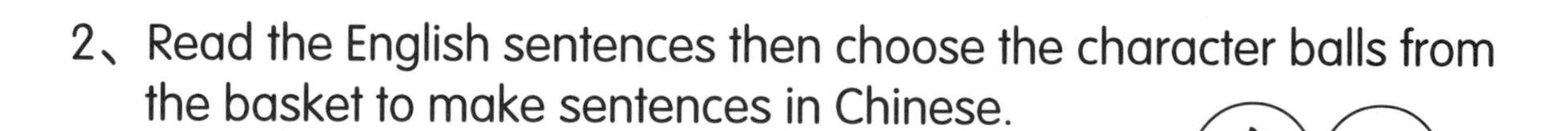

2、Read the English sentences then choose the character balls from the basket to make sentences in Chinese.

名 不 个 是 字 他 六 好 人

1. Name. 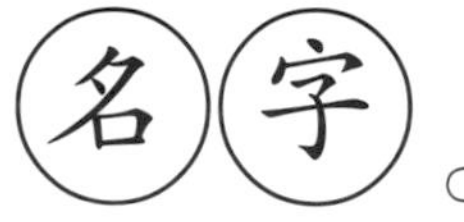 名 字 。

2. Six people. 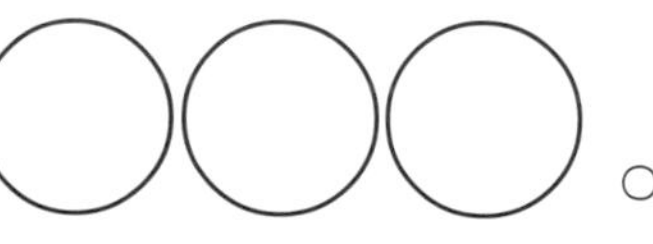 。

3. It's not him. 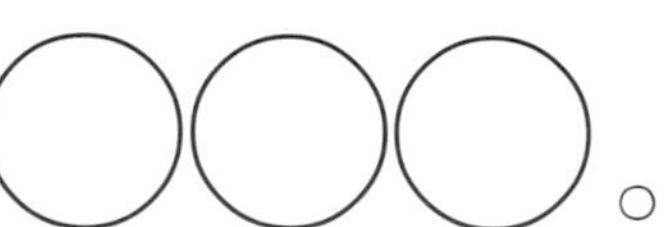 。

4. Six names.  。

5. Six, OK or not OK?  ？

6. He is a good man. 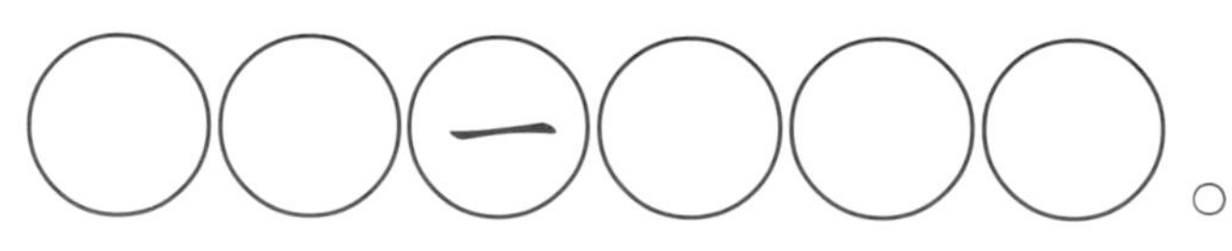 一 。

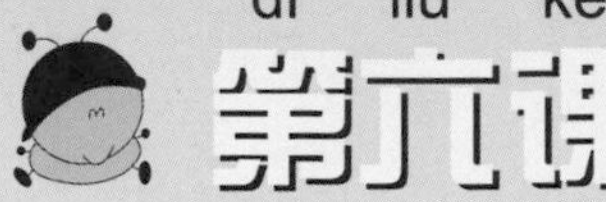

dì liù kè wǒ ài wǒ de jiā
第六课 我爱我的家

一 dú yi dú xiě yi xiě 读一读，写一写

Read and fill in the blanks

Write the Chinese character according to the Pinyin.

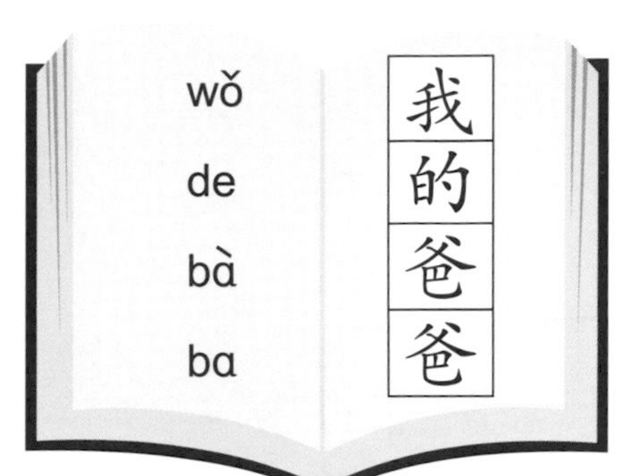

wǒ 我
de 的
bà 爸
ba 爸

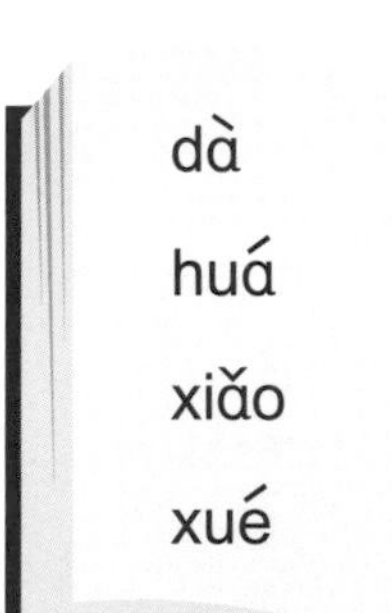
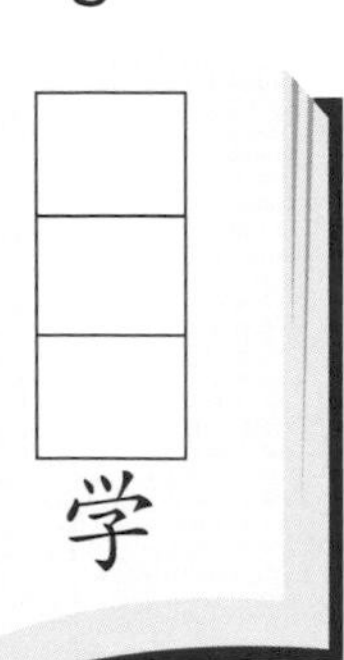

dà ☐
huá ☐
xiǎo ☐
xué 学

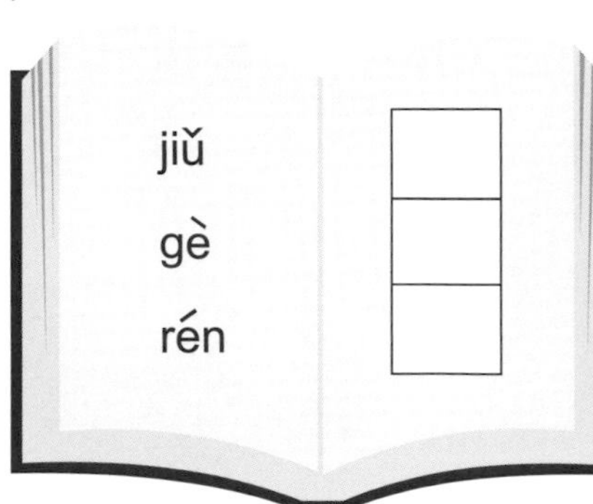

jiǔ ☐
gè ☐
rén ☐

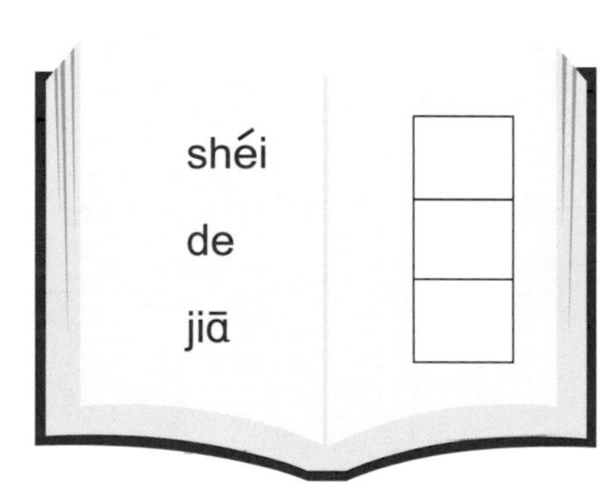

shéi ☐
de ☐
jiā ☐

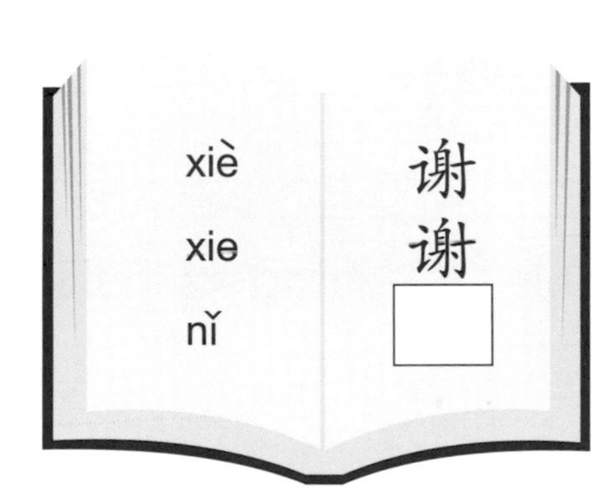

xiè 谢
xie 谢
nǐ ☐

二 lián yi lián xiě yi xiě 连一连，写一写

Part + Part = Whole

Link the parts together to make a character.

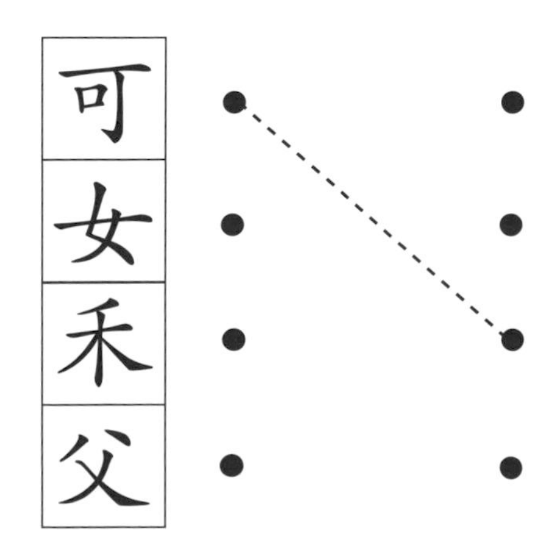
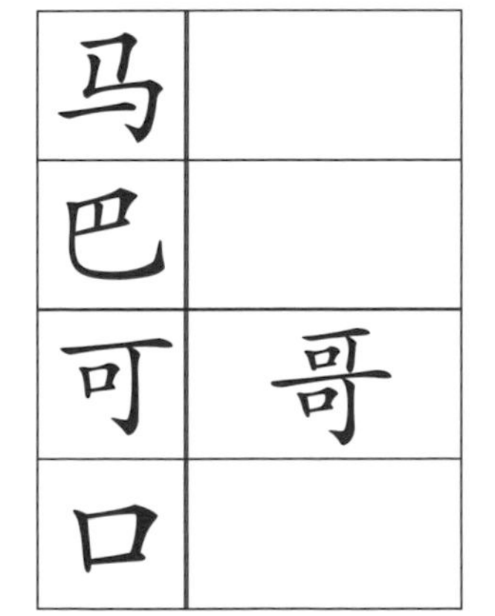

可	马	
女	巴	
禾	可	哥
父	口	

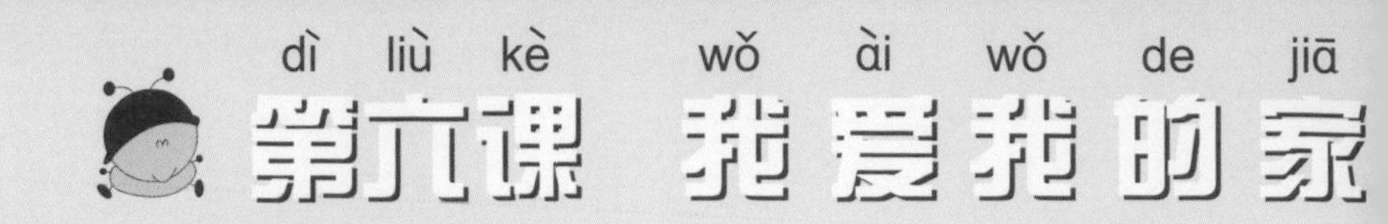

Fill in the blanks

1. Write the character that best suits the picture.

2. Write the characters that best suit the picture.

No/not good

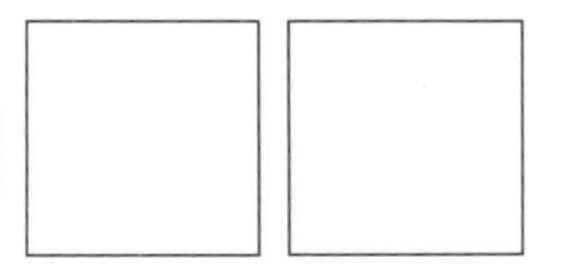

3. Write the character that best suits the picture.

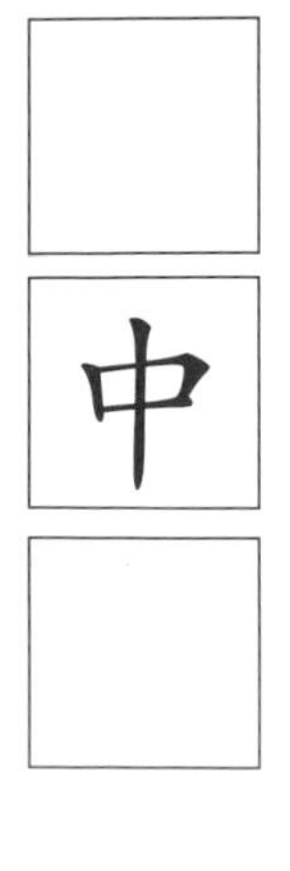

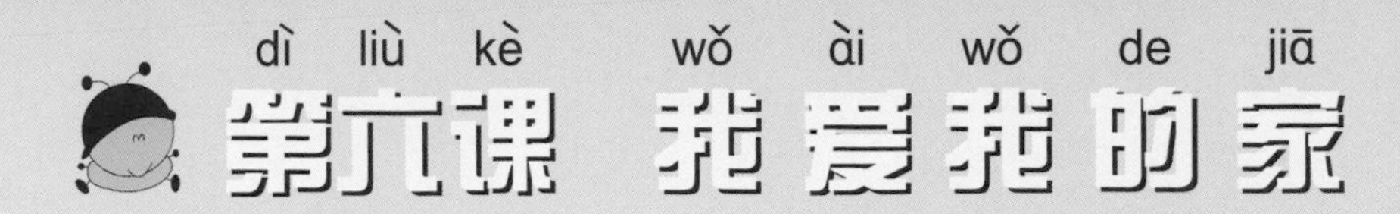

四 tián yi tián 填一填 Fill in the blanks

Fill in the blanks with the appropriate character given.

我 是 的

- 你 ☐ 谁？☐ 是李大中。
- 这 ☐ 谁？这 ☐ 我 ☐ 爸爸。
- 我爱我 ☐ 家。

五 pái yi pái, xiě yi xiě 排一排，写一写 Unscramble and Write

Unscramble the sentences and write them in the blanks.

- 你 谁 是 — 你是谁？
- 他 是 老师 也 我的 — ☐☐☐☐☐☐☐。
- 爸爸的 和 这是 妈妈 名字 — ☐☐☐☐☐☐☐☐☐☐。

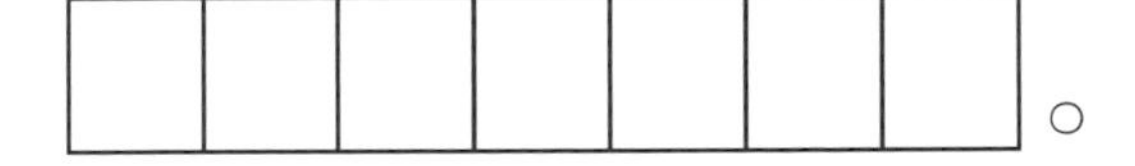

- 你 上 不是 大华 是 小xué — ☐☐☐☐☐☐☐☐☐？
- 人 大 不是 我 — ☐☐☐☐☐。

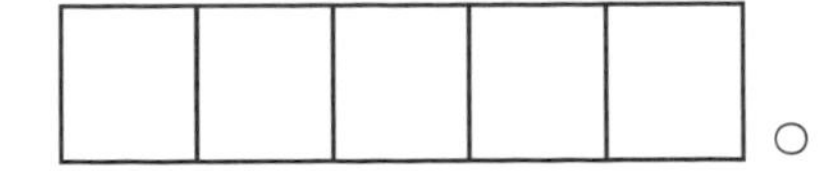

dì qī kè nǐ zhù zài nǎ lǐ
第七课 你住在哪里?

一 dú yi dú, tián yi tián 读一读，填一填

Read and fill in the blanks

Read the characters out loud and group them according to the same tones. Write them out on the ice cream cones.

我 他 住 大 中 谁 里 师 华 小 是 人

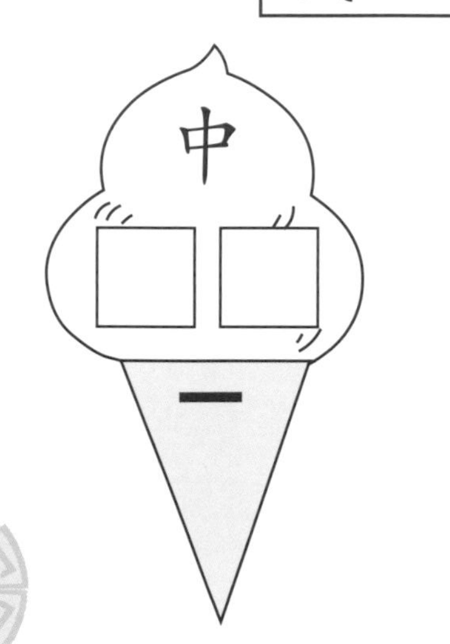

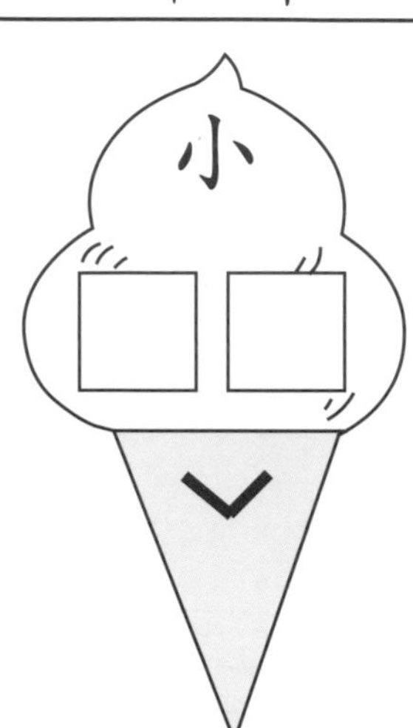

二 pái yi pái, xiě yi xiě 排一排，写一写

Unscramble and Write

Unscramble the sentences and write them in the blanks.

- 你 哪里 在 住 — 你住在哪里？
- 王老师 谁的 老师 是 — ________？
- 爸爸 我的 和 这是 妈妈 — ________。
- 老师 不是 你 王大中 是的 — ________？
- 人 在家 一个 我 — ________。

三 连一连，写一写 (lián yi lián xiě yi xiě)

Link and Write

Link the words with the right sentence and write them in the blanks.

哪里	她是我的□□。
小xué	你住在□□？
jǐ个	我和爸爸、妈妈□□小学路。
老师	你上哪个□□？
住在	他家有□□人？

四 你有我也有，念一念，连一连 (nǐ yǒu wǒ yě yǒu niàn yi niàn lián yi lián)

Belonging Together

Link the characters with the same radical.

校 住 个 叫 楼

言 人 口 木

他 谢 呢 哪 谁

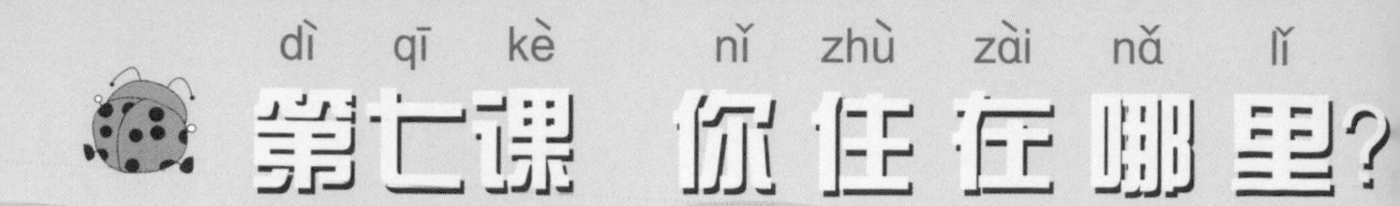

Fill in the blanks

Fill in the right characters for the socks and shoes.

1. Where

2. ten (pieces)

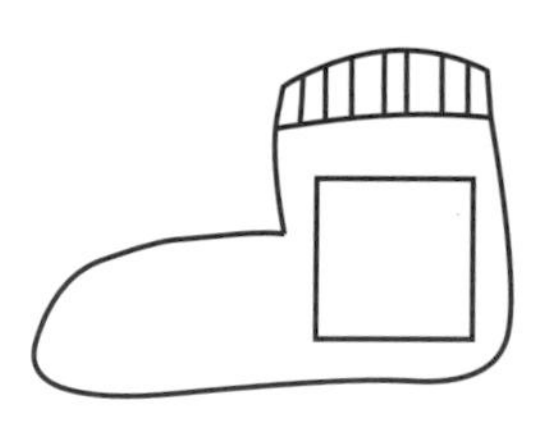

3. My home

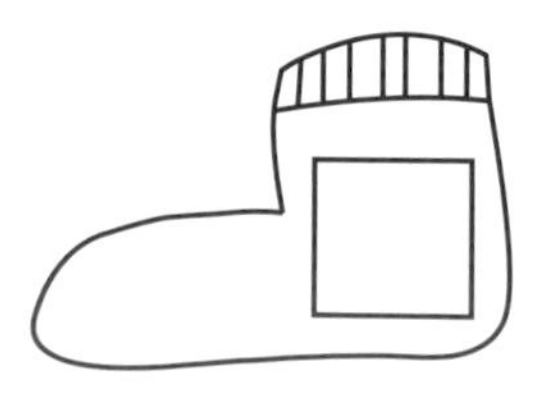
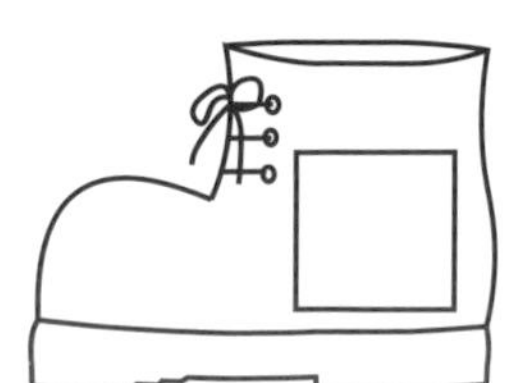

4. No good

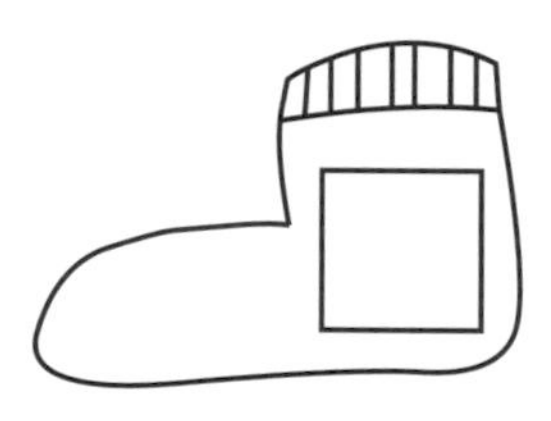

5. Not in

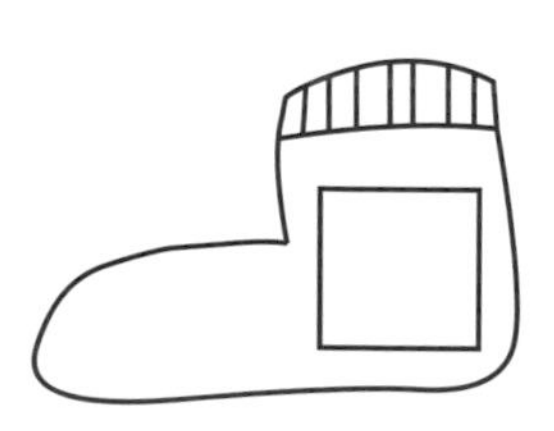
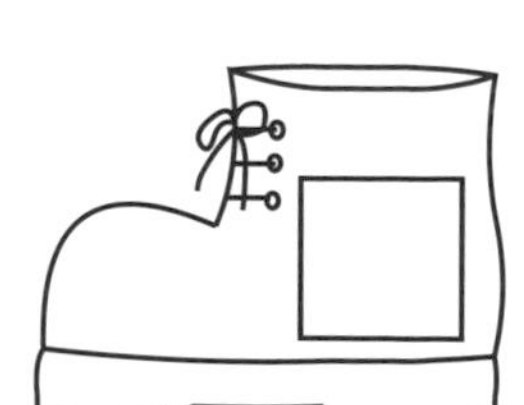

6. Which one

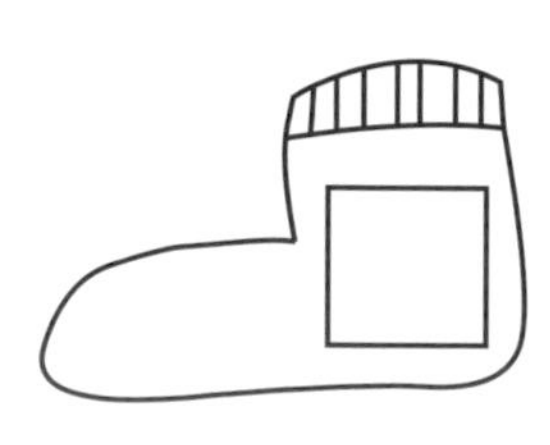

dì bā kè　jīn tiān shì jǐ yuè jǐ rì

第八课　今天是几月几日？

一　dú yi dú, tián yi tián 读一读，填一填

Read and fill in the blanks

Read the characters out loud, group them with the same final sounds and write them in the blank flower petals.

爱 小 见 再 三 年 叫 白 校 在 好 天

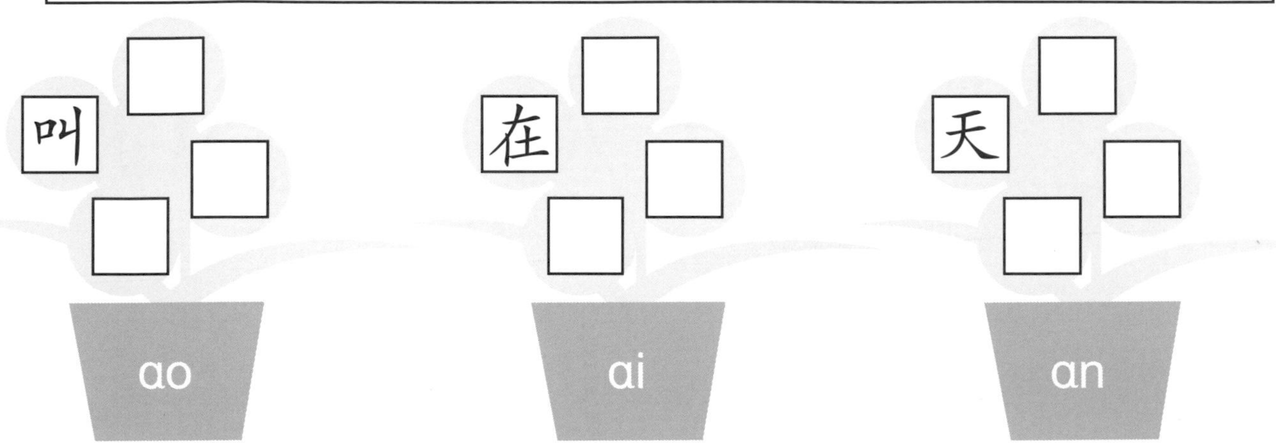

二　tián yi tián 填一填

Fill in the blanks

Choose the right characters for the sentences below and write them in the blanks.

你　年　日　今　生　月

1. 今天是四□十五□。
2. 祝□生日快乐。
3. 我是一九九七□生的。
4. □天是我的生日。
5. 他的□日也是一月一日。

三 xiě yi xiě 写一写 Write them in Chinese

Write the dates in Chinese characters according to the calendar.

2005 12 2	2007 8 17	2009 6 30
二OO五年十二月二日		

四 dú yi dú, huàn yi huàn 读一读，换一换 Read and Change

Fill in the blanks and make each sentence different from the original one.

- 我的妈妈叫我。 → 我的 老 师 叫我。
- 我的学校很大。 → 我的学校很 ____。
- 你的学校在哪里？ → 你的 ____ ____ 在哪里？
- 我的生日是星期三。 → 我的生日是 ____ 月 ____ 日。

五

dú yi dú　tián yi tián
读一读，填一填
Read and fill in the blanks

Fill in the blanks according to sequence.

一年有十二个月。
一月、二月、三月、☐月、五月、六月、☐月、八月、☐月、十月、☐☐月、十二月。
一月、三月、五月、七月、八月、十月、十二月有三十一天，叫大月。
四月、六月、九月、十一月有三十天，叫小月。
二月也是☐月，有二十八天/二十九天。

1 2 3 4 5 6 7 8 9 10 11 12 13 14 15 16 17 18 19 20 21 22 23 24 25 26 27 28 29 30 31	1 2 3 4 5 6 7 8 9 10 11 12 13 14 15 16 17 18 19 20 21 22 23 24 25 26 27 28 29	1 2 3 4 5 6 7 8 9 10 11 12 13 14 15 16 17 18 19 20 21 22 23 24 25 26 27 28 29 30 31
1 2 3 4 5 6 7 8 9 10 11 12 13 14 15 16 17 18 19 20 21 22 23 24 25 26 27 28 29 30	1 2 3 4 5 6 7 8 9 10 11 12 13 14 15 16 17 18 19 20 21 22 23 24 25 26 27 28 29 30 31	1 2 3 4 5 6 7 8 9 10 11 12 13 14 15 16 17 18 19 20 21 22 23 24 25 26 27 28 29 30
1 2 3 4 5 6 7 8 9 10 11 12 13 14 15 16 17 18 19 20 21 22 23 24 25 26 27 28 29 30 31	1 2 3 4 5 6 7 8 9 10 11 12 13 14 15 16 17 18 19 20 21 22 23 24 25 26 27 28 29 30 31	1 2 3 4 5 6 7 8 9 10 11 12 13 14 15 16 17 18 19 20 21 22 23 24 25 26 27 28 29 30
1 2 3 4 5 6 7 8 9 10 11 12 13 14 15 16 17 18 19 20 21 22 23 24 25 26 27 28 29 30 31	1 2 3 4 5 6 7 8 9 10 11 12 13 14 15 16 17 18 19 20 21 22 23 24 25 26 27 28 29 30	1 2 3 4 5 6 7 8 9 10 11 12 13 14 15 16 17 18 19 20 21 22 23 24 25 26 27 28 29 30 31

dì jiǔ kè jīn tiān shì xīng qī jǐ
第九课 今天是星期几？

一 dú yi dú, tián yi tián
读一读，填一填

Read and fill in the blanks

1. Fill in the blanks and the brackets.

- zuó tiān xīng qī èr
  昨 天 星 期 二 。
- jīn tiān xīng qī sān
  □ □ □ □ □ 。
- míng tiān xīng qī sì
  □ □ □ □ □ 。
- shí èr yuè yǒu ( ) ( ) ( ) tiān
  □ □ □ □ □ □ □ □ 。

2. Read the paragraph out loud and fill in the blanks with the appropriate words.

一个星期有七天。星期一、星期二、星期三、星期四、星期五、星期六和星期天。星期六和星期天，我们不上学。

- □□六我不上学。
- 一星期有□□。
- □月□日是我爸爸的生日。
- 今年是□□□□年。

二 pái yi pái, xiě yi xiě 排一排，写一写 Unscramble and Write

Unscramble the sentences and write them in the blanks.

- 星期 是 天 今天 □□□□□□。
- 五 昨天 星期 是 吗 □□□□□□□？
- 不是 是 星期日 明天 □□□□□□□□？
- 生日 爸爸 的 明天 是 吗 □□□□□□□□□？
- 一月一日 星期四 今年 的 是 □□□□□□□□□□□。
- 的 王老师 哪里 家 在 □□□□□□□□？

三 nǐ yǒu wǒ yě yǒu, tián yi tián 你有我也有，填一填 Belonging Together

Identify the radicals on the flower petals and fill in the blanks.

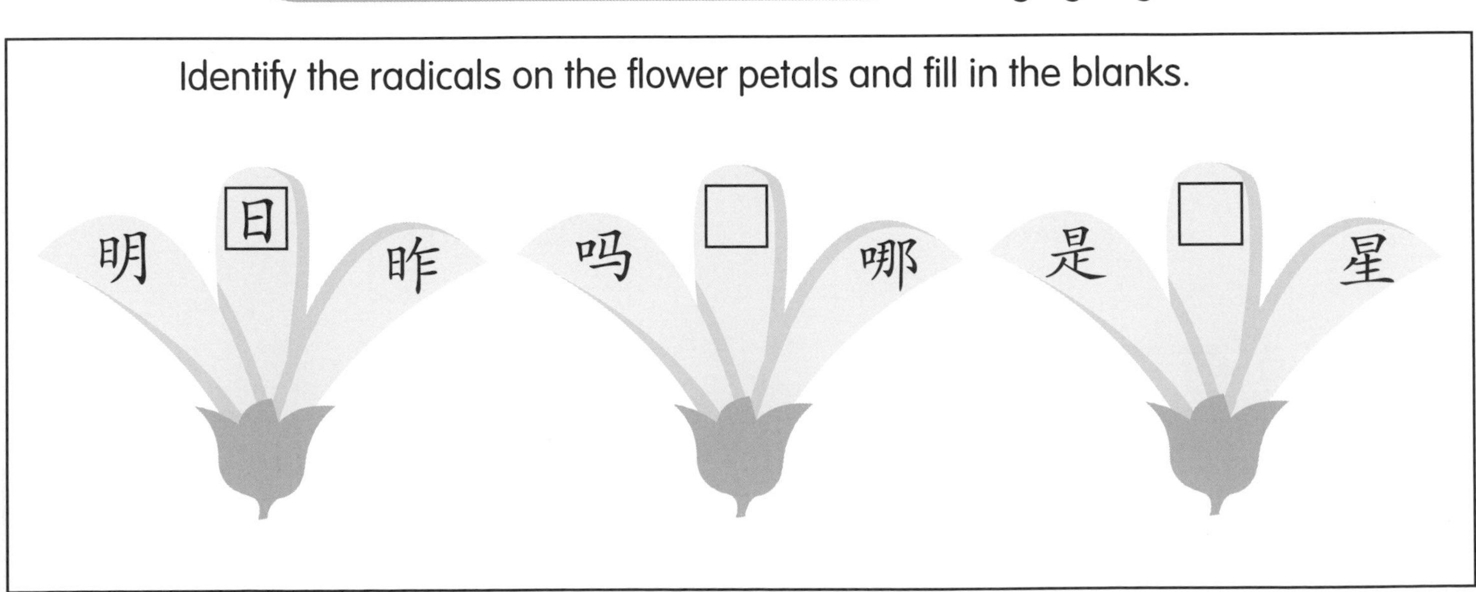

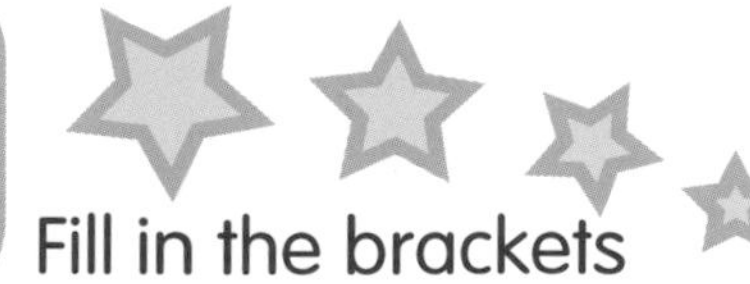

Fill in the brackets

Match the right key with the lock according to the English.

2. old man

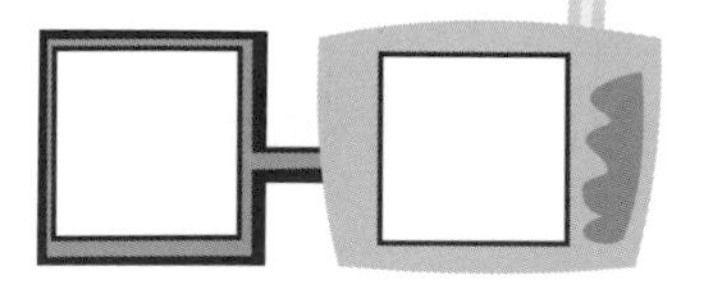

3. teacher

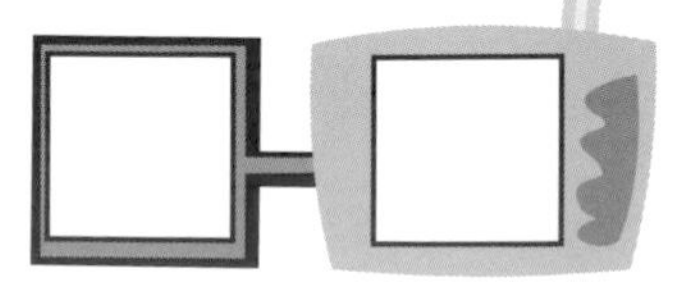

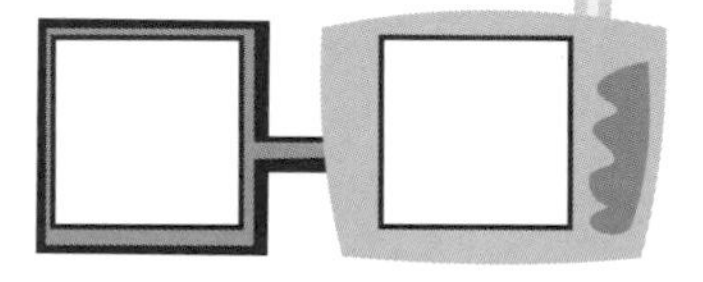

5. next year

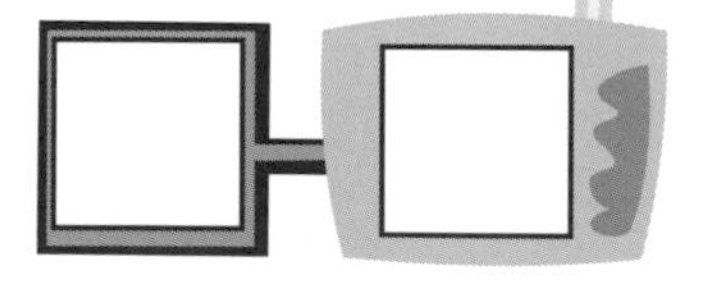

6. adult

dì shí kè shū bāo lǐ yǒu shén me
第十课 书包里有什么？

一 niàn yi niàn xiě yi xiě 念一念，写一写

Read and fill in the blanks

Read each sentence aloud and write the characters according to the Pinyin.

1. 我 是 (shì) 白 ☐☐ (lǎo shī)。☐☐ (dà jiā) 好。

2. 这是我的 ☐☐ (shū bāo)，我有三 ☐☐ (běn shū) 和铅笔。

3. ☐ (nà) 是 ☐☐ (shéi de) 教室？

4. 我有爸爸、☐☐ (mā ma) 和一 ☐ (gè) 哥哥。

5. 你 ☐ (jiā) 有几个 ☐ (rén)？

二 lián yi lián 连一连

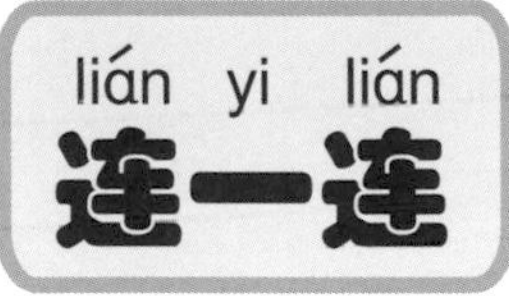

Link Up

Link the characters to make a word.

本	橡	书	教	铅
室	包	子	笔	皮

三 tián yi tián 填一填 Fill in the blanks

1. Fill in the blanks with the appropriate words.

什么	谁	铅笔	桌子	书包

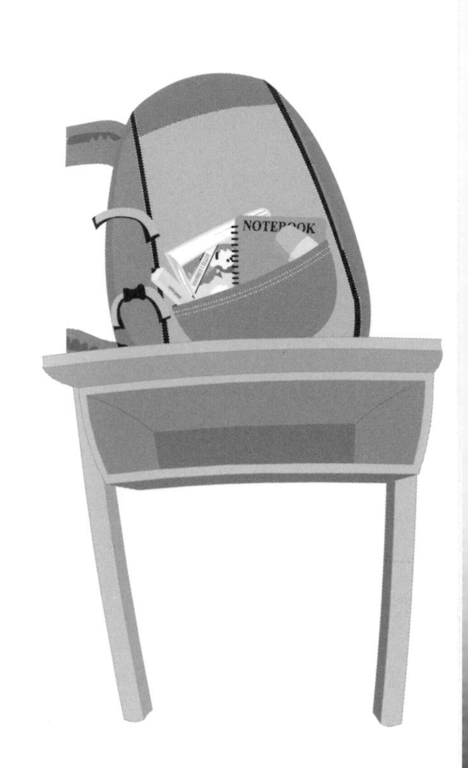

- 我有一个 [书包] 。
- 书包里有书、本子、[ ] 和橡皮。
- 教室里有 [ ] 和椅子。
- 书包里有 [ ] ？
- 那是 [ ] 的教室？

2. Fill in the blanks with the appropriate words.

- 今天是星期五。 = [昨] 天是星期四。 = [ ] 天是星期六。
- 这个很大。 = 这个 [ ] 。 (not small)
- 他是我同学。 = 他 [ ] 是我老师。 (not my teacher)
- 我不住学校。 = 我住 [ ] 里。 (at home)

四 niàn yi niàn lián yi lián
念一念，连一连 Read and Link Up

Link the words with the correct gender.

弟弟		爸爸
妈妈	男	白大卫
王小文	女	姐姐
哥哥		李大中
妹妹		我的中文老师

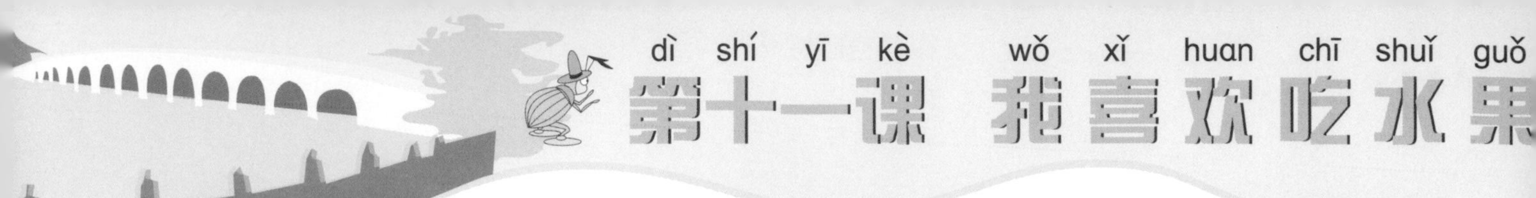

dì shí yī kè wǒ xǐ huan chī shuǐ guǒ
第十一课 我喜欢吃水果

Link Up

Link the character to its Pinyin and to another character to make a word.

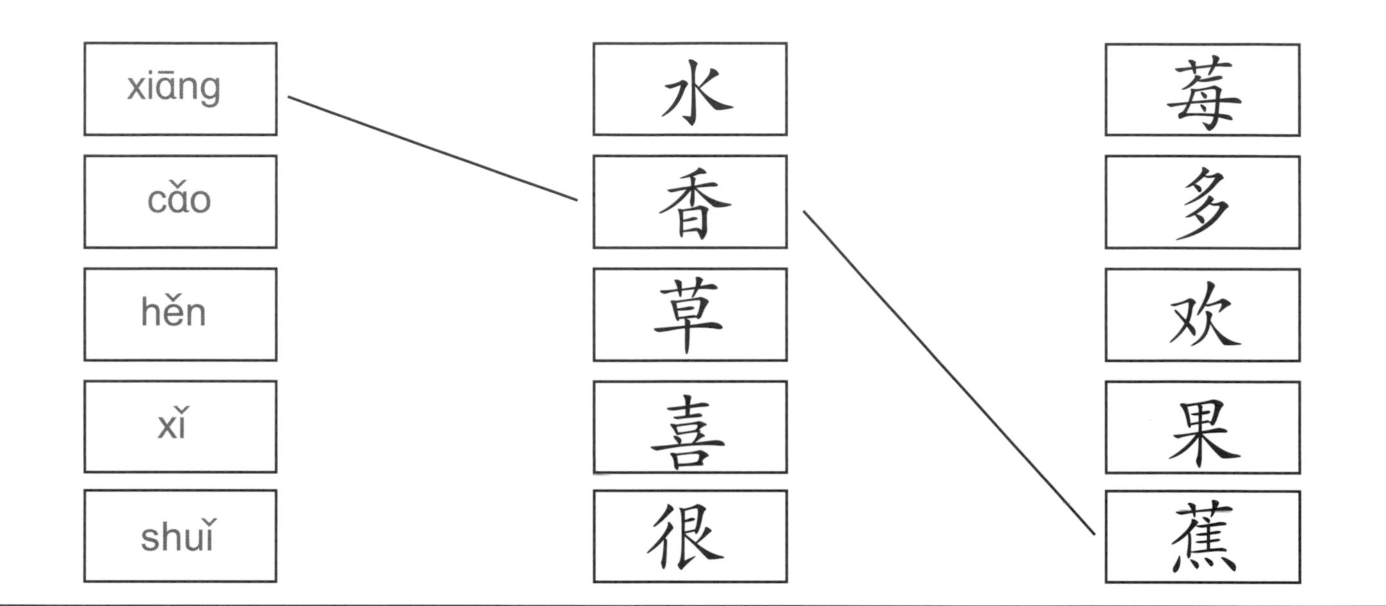

Fill in the brackets

Choose the right fruit from the bubble and write the Pinyin in the bracket.

梨　莓　西瓜
水果　香

- 桌子上有很多（shuǐ guǒ）。
- 我喜欢吃（　　　）蕉。
- 弟弟喜欢吃草（　　　）。
- 妈妈喜欢吃苹果，也喜欢吃（　　　）。
- 我不爱吃（　　　）。

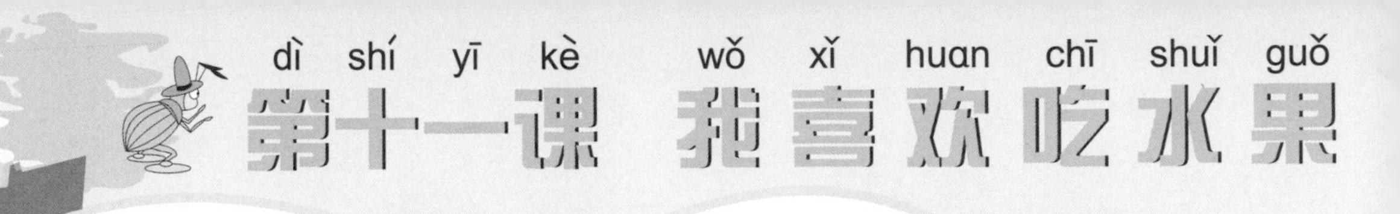

dì shí yī kè wǒ xǐ huan chī shuǐ guǒ

第十一课 我喜欢吃水果

三 念一念，填一填

niàn yi niàn, tián yi tián

Read and fill in the blanks

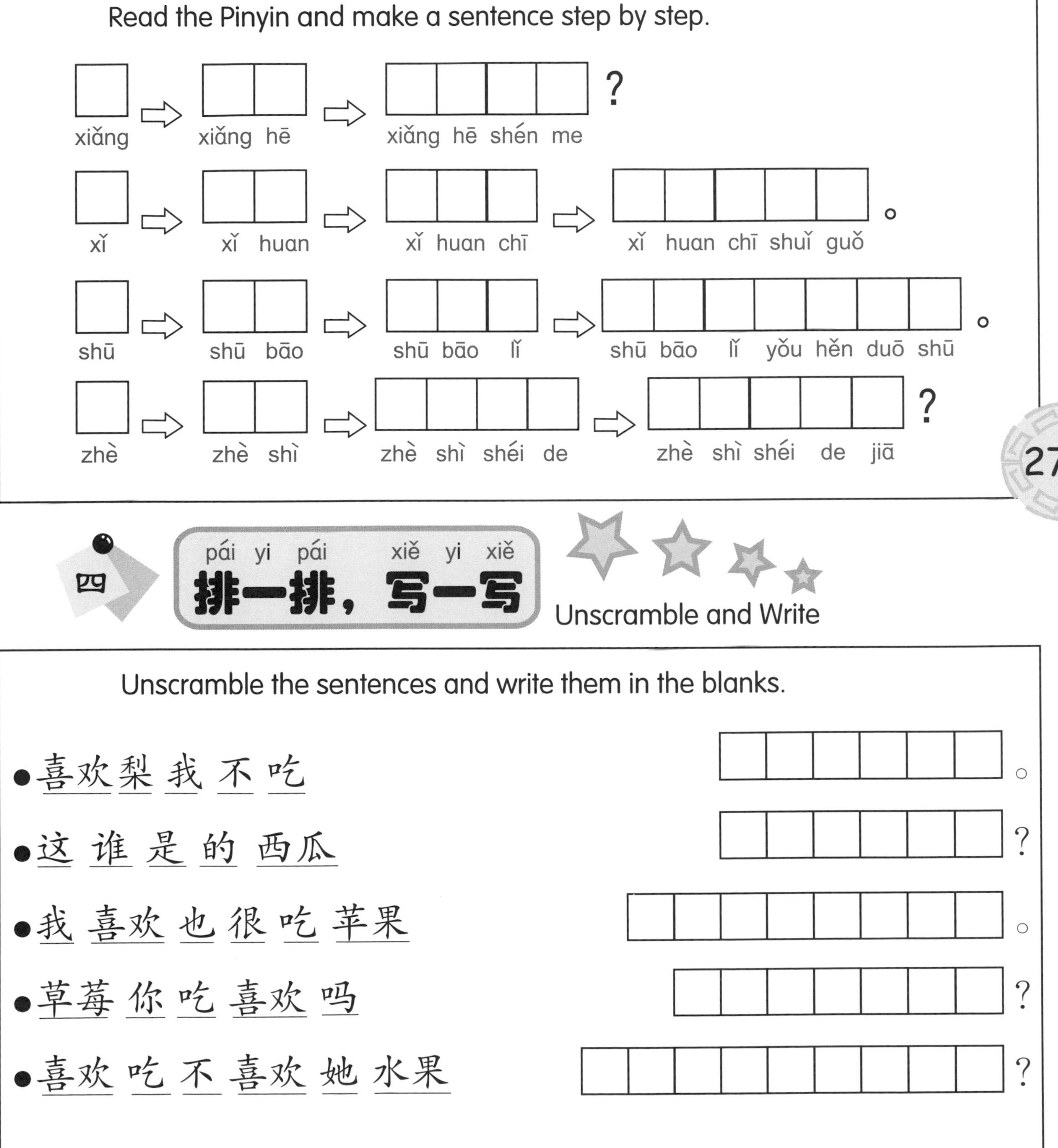

Read the Pinyin and make a sentence step by step.

xiǎng ⇨ xiǎng hē ⇨ xiǎng hē shén me ?

xǐ ⇨ xǐ huan ⇨ xǐ huan chī ⇨ xǐ huan chī shuǐ guǒ 。

shū ⇨ shū bāo ⇨ shū bāo lǐ ⇨ shū bāo lǐ yǒu hěn duō shū 。

zhè ⇨ zhè shì ⇨ zhè shì shéi de ⇨ zhè shì shéi de jiā ?

四 排一排，写一写

pái yi pái, xiě yi xiě

Unscramble and Write

Unscramble the sentences and write them in the blanks.

- 喜欢 梨 我 不 吃 ______ 。
- 这 谁 是 的 西瓜 ______ ？
- 我 喜欢 也 很 吃 苹果 ______ 。
- 草莓 你 吃 喜欢 吗 ______ ？
- 喜欢 吃 不 喜欢 她 水果 ______ ？

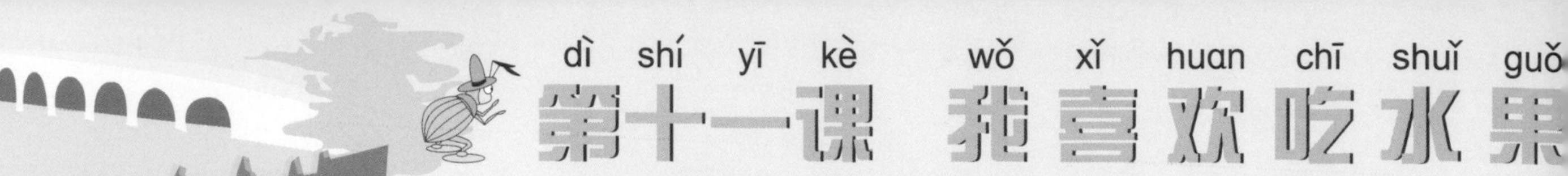

Link Up

What do you like to eat? What don't you like to eat? Use the icons to indicate your preference.

葡萄		三明治
香蕉	我喜欢吃	汉堡
西瓜	我不喜欢吃	薯条
橘子		水饺
草莓		包子
苹果		白饭

niàn yi niàn, tián yi tián
念一念，填一填

Read and Match

Put the number in front of the sentence that best describes the picture.

（一）

（二）

（三）

（四）

六	wǒ men xǐ huan shàng xué.
	tiān shàng yǒu hěn duō xīng xing.
	tā shì wǒ gē ge，bú shì wǒ dì di.
	dà jiā chī fàn hěn kuài lè.
	zhè bú shì běn zi，zhè shì shū.
	dà jiā chī xī guā hěn kuài lè.
	wǒ xǐ huan xué zhōng wén.
	jiào shì lǐ yǒu lǎo shī hé sān gè xué shēng.

（五）

（六）

（七）

（八）

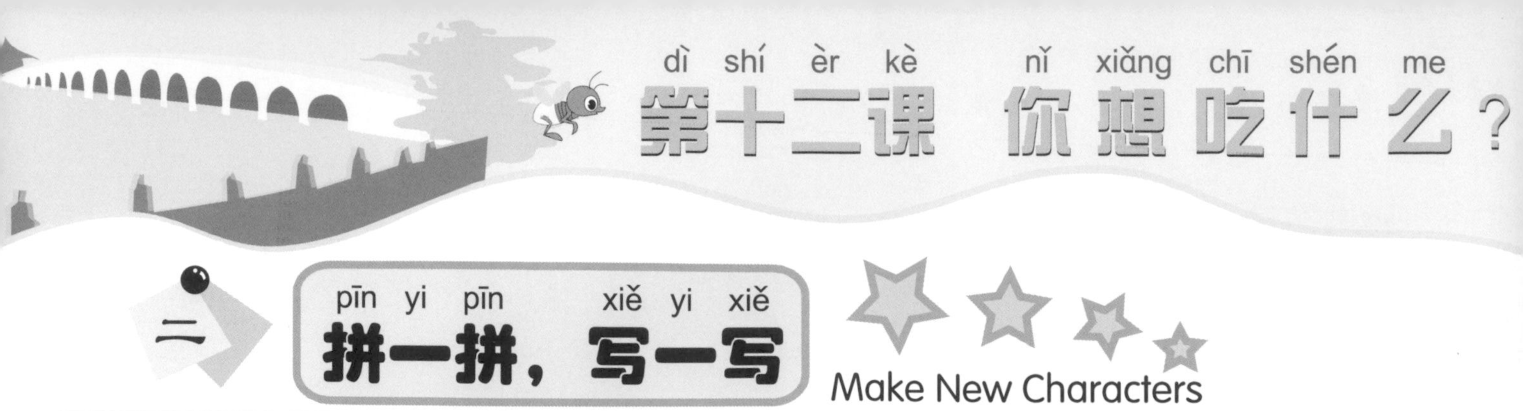

二 pīn yi pīn xiě yi xiě 拼一拼，写一写 Make New Characters

Put the two parts together to make a new character.

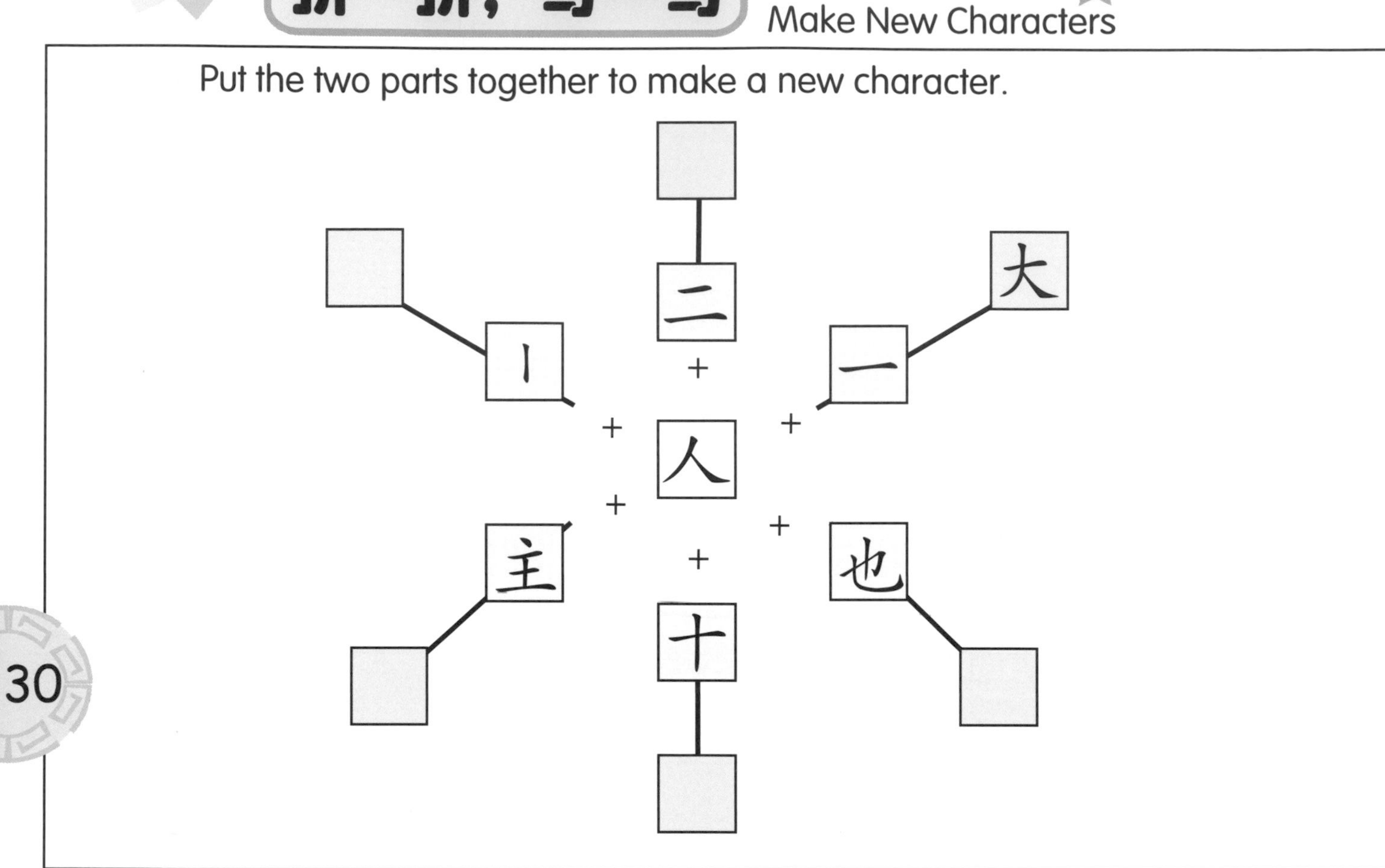

三 nǐ yǒu wǒ yě yǒu tián yi tián 你有我也有，填一填 Belonging Together

Identify the characters with the same radical and write them on the petals.

他 喝 和 叫 是 个 昨 什 星 住 明 吃 你 哪

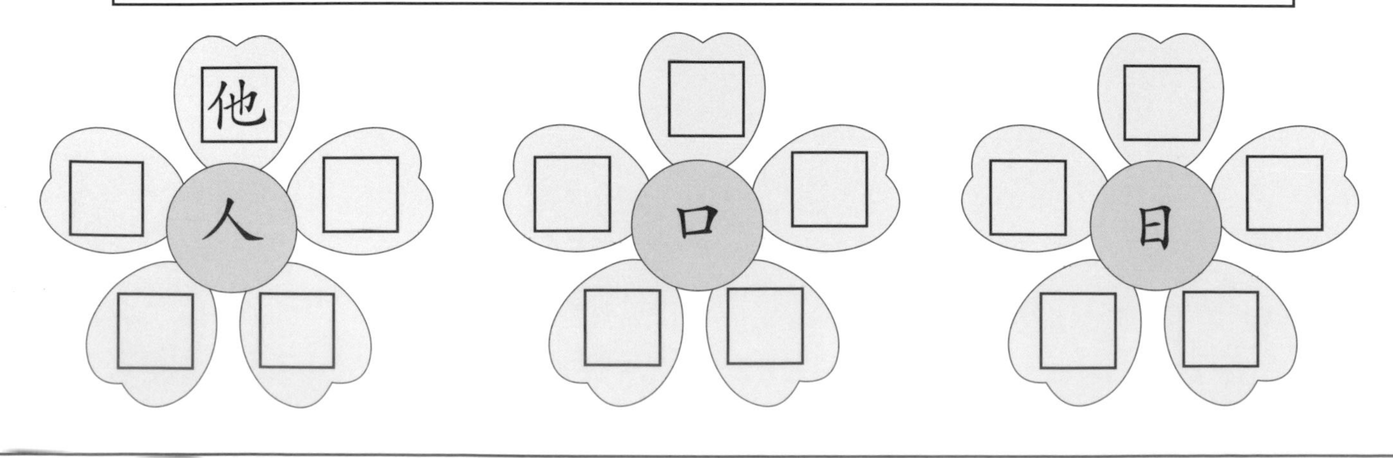

dì shí èr kè nǐ xiǎng chī shén me
第十二课 你想吃什么？

四 niàn yi niàn, quān yi quān 念一念，圈一圈

Word Puzzle

Read the Pinyin, find the sentences in the word puzzle and circle them.

dà jiā hǎo	hǎo duō shū	shéi de shū
tā shì shéi	tā hěn hǎo	zhè ge lǎo rén
wǒ de lǎo shī	shì wǒ	hǎo lǎo shī

大	家	好	这	好
他	是	谁	个	老
很	我	的	老	师
好	多	书	人	☺

五 tián yi tián 填一填

Fill in the blanks

Write a character to make another word to match the English word.

星 < 星期 (week) / 星☐ (star)

水 < 水☐ (fruit) / ☐水 (drink the water)

哪 < 哪☐ (where) / 哪☐ (which one)

本 < 本☐ (notebook) / 一本☐ (one book)

明 < 明☐ (tomorrow) / 明☐ (next year)

见 < ☐见 (good-bye) / ☐见了 (disappeared)

第一课 你好！

P1

一、念一念，连一连

1. 略

2. xiè 谢； lǎo 老； hěn 很； jiàn 见； men 们； shī 师

P2

二、读一读，填一填

图1.zài jiàn

图2.nǐ hǎo ma wǒ hěn hǎo

图3.lǎo shī hǎo tóng xué men hǎo

图4.xiè xie

第二课 你叫什么名字？

P3

一、念一念，连一连

míng 名； xiè 谢； zì 字； nǐ 你； hǎo 好； zài 再

P4

二、连一连，填一填

略

三、填一填

略

第三课 你几岁？

P5

一、填一填

39	三	十	九
98	九	十	八
46	四	十	六
52	五	十	二
17	十	七	

二、数一数

三（三）划；九（二）划；六（四）划；七（二）划；见（四）划

P6

三、写一写，读一读

略

四、连一连

问题	回答
你叫什么名字？	我叫李大中。
你几岁？	我八岁。
tā jǐ suì?	他七岁。
她叫什么名字？	她叫王小文。
她几岁？	她十二岁。

第四课 你是哪国人？

P7

一、读一读，写一写

（图一）一二三 （图二）名字

（图三）加拿大 （图四）中国人

二、你有我也有，填一填

（图一）人 你 他 个

（图二）女 好 妈 她

P8

三、连一连

问题	回答
你是哪国人？	我是美国人。
他是中国人吗？	是，他是中国人。
他是哪国人？	他是日本人。
她是不是加拿大人？	不是，她是英国人。
她是哪国人？	她是法国人。

四、填一填

（zhōng guó） （加拿大） （英国） （日本） （美国）

第五课 我上大华小学

P9

一、读一读，写一写

上学 你好吗 中文 华人 再见

二、你有我也有，填一填

（图一）口 （图二）人 （图三）女

P10

三、填一填

1. 上，也，大；上，也，四；上
2. 六个人；不是他；六个名字；六个，好不好；他是一个好人

第六课 我爱我的家

P11

一、读一读，写一写

(图二)大华小学；（图三)九个人；（图四)谁的家；（图五)谢谢你

二、连一连，写一写

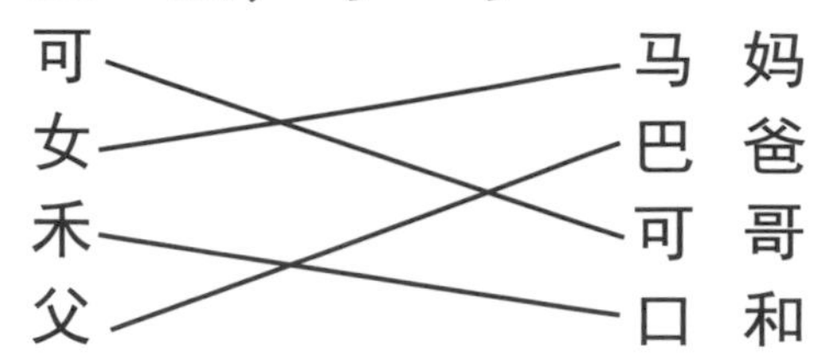

P12

三、填一填

1. 大，小；2. 不好；3. 上，下

四、填一填

是，我；是，是，的；的

五、排一排，写一写

他也是我的老师。

这是爸爸和妈妈(妈妈和爸爸)的名字。

你是不是上大华小xué(学)？

我不是大人。

第七课 你住在哪里？

P14

一、读一读，填一填

(图一)中，他，师；（图二)人，谁，华；

(图三)小，我，里；（图四)大，住，是

二、排一排，写一写

王老师是谁的老师？

这是我的爸爸和妈妈(妈妈和爸爸)。

你是不是王大中的老师？(王大中是不是你的老师？)

我一个人在家。

P15

三、连一连，写一写

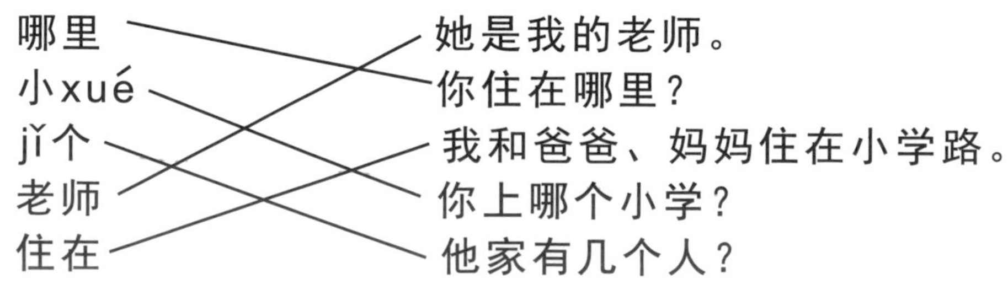

四、你有我也有，念一念，连一连

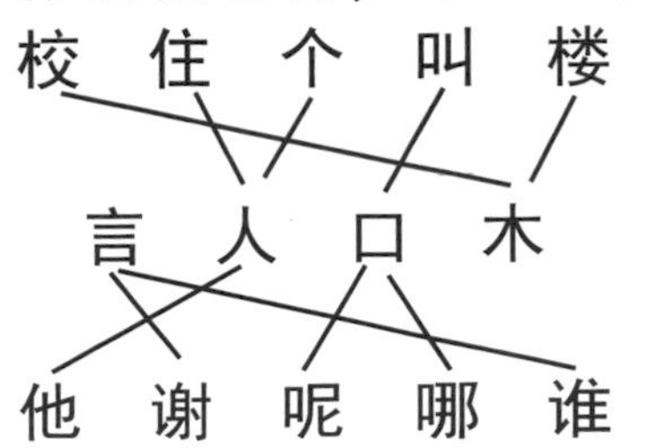

P16

五、填一填

1. 哪里 2. 十个 3. 我家 4. 不好 5. 不在 6. 哪个

第八课 今天是几月几日？

P17

一、读一读，填一填

(图一)叫，小，好，校 (图二)在，爱，再，白 (图三)天，见，三，年

二、填一填

1. 月，日 2. 你 3. 年 4. 今 5. 生

P18

三、写一写

二〇〇七年八月十七日 二〇〇九年六月三十日

四、读一读，换一换

略

P19

五、读一读，填一填

四，七，九，十一，小

第九课 今天是星期几？

P20

一、读一读，填一填

1. 今天星期三。明天星期四。十二月有三十一(sān shí yī)天。

2. 略

P21

二、排一排，写一写

今天是星期天。

明天是不是星期日？

今年的一月一日是星期四。

昨天是星期五吗？

明天是爸爸的生日吗？

王老师的家在哪里？

三、你有我也有，填一填

(图二)口 (图三)日

P22

四、填一填

1. 大家　2. 老人　3. 老师　4. 明天　5. 明年　6. 大人

第十课　书包里有什么？

P23

一、念一念，写一写

1. 老师，大家　2. 书包，本书　3. 那，谁的　4. 妈妈，个　5. 家，人

二、连一连

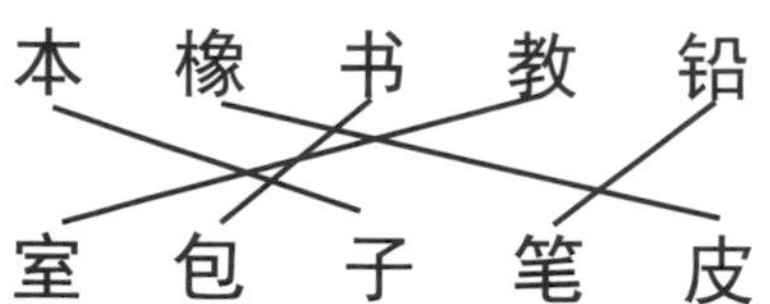

P24

三、填一填

1. 铅笔，桌子，什么，谁

2. 明，不小，不，家

P25

四、念一念，连一连

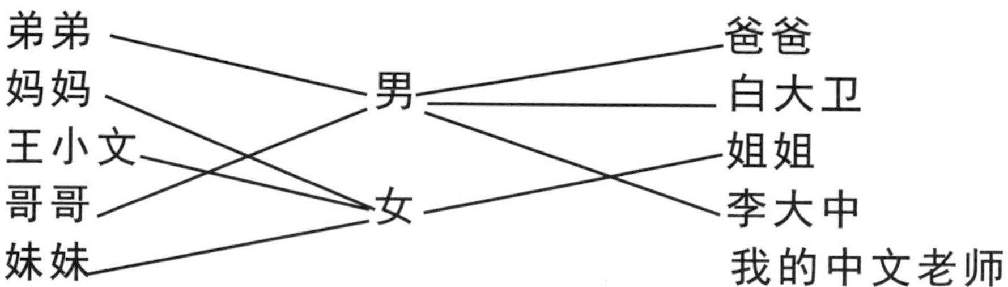

第十一课　我喜欢吃水果

P26

一、连一连

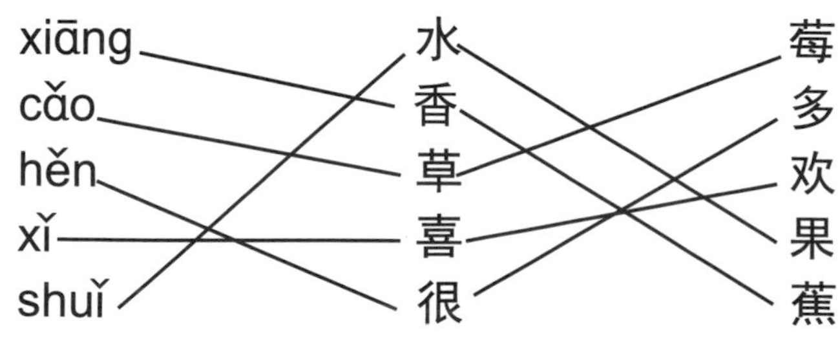

二、填一填

xiāng　méi　xī guā / lí　xī guā / lí / shuǐ guǒ

P27

三、念一念，填一填

1. 想　想喝　想喝什么？

2. 喜　喜欢　喜欢吃　喜欢吃水果。

3. 书　书包　书包里　书包里有很多书。
4. 这　这是　这是谁的　这是谁的家？

四、排一排，写一写

1. 我不喜欢吃梨。
2. 这是谁的西瓜？
3. 我也很喜欢吃苹果。
4. 你喜欢吃草莓吗？
5. 她喜欢不喜欢吃水果？

P28

五、连一连

略

第十二课　你想吃什么？

P29

一、念一念，填一填

六，一，八，二，七，三，四，五

P30

二、拼一拼，写一写

二+人=天　丨+人=个　主+人=住　十+人=什　也+人=他

三、你有我也有，填一填

(图一)他，个，什，住，你
(图二)喝，和，叫，吃，哪
(图三)是，昨，星，明

四、念一念，圈一圈

大	家	好	这	好
他	是	谁	个	老
很	我	的	老	师
好	多	书	人	☺

五、填一填

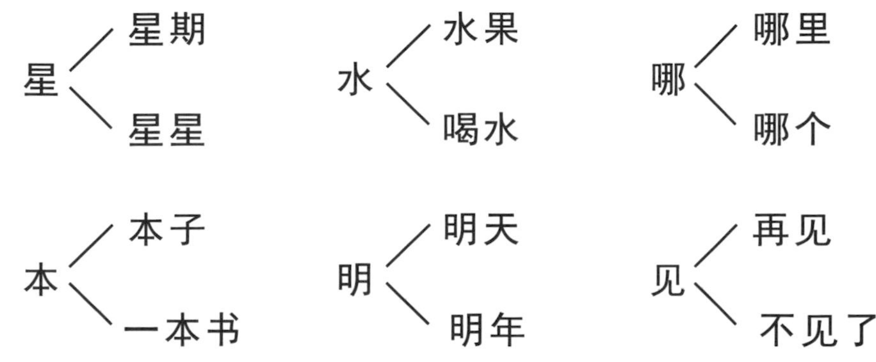

《快乐儿童华语》宾果卡

姓名 ________________________

（1）

（2）

（3）

（4）
